LES TRÈS RICHES HEURES DU DUC DE BERRY

LES TRÈS RICHES HEURES DU DUC DE BERRY

Manuscrit enluminé du XVe siècle

Textes de

Edmond Pognon

Conservateur en Chef
à la Bibliothèque Nationale

Liber

Jean de France, duc de Berry, étant fils du roi Jean le Bon, frère de Charles V et oncle de Charles VI, fut nécessairement mêlé aux grandes affaires de ces règnes troublés. Mais la seule chose qui l'intéressât vraiment, ce fut d'accumuler autour de soi des splendeurs de toutes sortes. Il y fallait de gros moyens. Pour se les assurer, il céda sans mesure aux tentations offertes par les pouvoirs que lui fit conférer sa naissance. Le comté de Poitiers, que son père lui donna en apanage quand il eut seize ans, en 1536 ; le Berry, qui fut pour lui érigé en duché-pairie quatre ans plus tard — à un moment où le Poitou semblait acquis aux Anglais — ; le Languedoc, dont il eut la lieutenance pendant quelques années du règne de son frère, et qui lui fut rendu, malgré les mauvais souvenirs qu'il y avait laissés, dès l'avènement de son neveu, furent surtout dans son esprit des sources de revenus, qu'il exploita sans ménagements. Quand, en 1392, Charles VI eut perdu la raison, le duc se trouva, en même temps que son autre neveu Louis, duc d'Orléans, en situation d'exercer sa rapacité sur l'ensemble du royaume. Les humbles le haïssaient ; quand, la guerre civile ayant éclaté en France après l'assassinat de Louis par des séides du duc de Bourgogne Jean sans Peur, il se déclara pour le parti des Armagnacs, les Parisiens, qui étaient « Bourguignons », se déchaînèrent contre lui. En 1411, des bandes menées par le boucher Legoix sortirent de la ville par la porte Saint-Jacques et vinrent mettre le feu à son magnifique château de Bicêtre.

Il y avait là de quoi désoler le duc. Pour comble, avant la fin de la même année, il perdait successivement ses châteaux d'Étampes et de Dourdan, assiégés et pris par son petit-neveu le dauphin Louis, que Jean sans Peur avait alors gagné à sa cause et dirigeait de près.

Pourtant on ne peut dire que le duc n'ait plus eu une pierre où reposer sa tête : il lui restait, à Bourges, le palais dit « royal », qui était sa résidence ducale ; à Poitiers, qu'il avait, en 1369, reconquis sur les Anglais, un palais, et tout près de la ville le château du Clain ; des demeures de rêve comme ses châteaux de Mehun-sur-Yèvre et de Lusignan ; ceux de Nonette, d'Usson, de Gien, de Montargis, de Boulogne-sur-Mer ; un palais à Riom ; près de Graçay-en-Berry, l'hôtel de Genouilly ; à Bercy, l'hôtel de Giac, dit aussi la Grange-aux-Merciers ; à Paris même, l'hôtel de Nesle. Compte tenu des trois logis qu'il venait de perdre en 1411, on arrive à un total de dix-sept.

Il est affligeant que rien ou presque ne subsiste de ces édifices. Les représentations de quelques-uns qu'on va pouvoir contempler ici-même permettront de mesurer l'ampleur de cette perte, qui s'inscrit d'ailleurs dans la ruine générale des édifices civils du Moyen Age. Leur beauté, leur séduction plaideraient les circonstances atténuantes en faveur de cet insatiable exploiteur du pauvre peuple. Après tout, aujourd'hui encore, il y a des gens qui entretiennent — et beaucoup mieux que lui — des populations entières dans la misère. C'est pour satisfaire leur idéologie. Il est permis de préférer les motivations du duc de Berry. Avoir été le plus grand mécène de son temps, et en somme le premier en date des mécènes européens, peut faire pardonner bien des choses.

Plus heureux que la pierre, plus heureux que les œuvres des orfèvres, des joailliers, des émailleurs, des lissiers qu'il collectionnait par centaines, et dont ce qui subsiste peut-être aujourd'hui est difficile à repérer, le parchemin embelli par cet incoercible instigateur de merveilles a résisté au temps.

Mécène pour tous les artistes, le duc de Berry le fut plus particulièrement pour ceux dont le talent de calligraphe ou de peintre donnait le jour à de beaux livres. Comme son frère Charles V, il fut bibliophile. L'inventaire de ses biens fait apparaître plus de cent cinquante manuscrits, tous plus ou moins richement enluminés. Un tiers environ était fait d'ouvrages historiques, un cinquième de romans de chevalerie ; enfin, outre quelques volumes traitant d'astrologie, d'astronomie, de géographie, près de la moitié consistait en livres religieux : bibles, psautiers, bréviaires, missels, livres d'heures enfin, au nombre de quinze.

Un livre d'heures, c'était un recueil de prières à l'usage des laïques, de ceux du moins qui voulaient, à l'instar des prêtres et des moines, se tourner vers Dieu à certaines heures fixes de la journée. Les prières varient suivant le temps de l'année ; en outre, comme on sait, chaque jour amène la fête d'un ou de plusieurs saints. Voilà pourquoi les livres d'heures s'ouvrent très généralement sur un calendrier, dont chaque mois occupe une page. L'usage s'est tôt établi d'évoquer par une image généralement assez sommaire l'occupation humaine qui caractérise le mois. Après ce hors-d'œuvre viennent les Heures dont les prières célèbrent la Vierge, les Heures de la Croix, du Saint-Esprit, de la Passion, séparées par des pages contenant des extraits des Évangiles, des psaumes, des litanies, et le « propre » de certaines messes. Diverses oraisons et exercices de piété s'insèrent aussi çà et là dans le volume.

Il y a eu des livres d'heures faciles à porter avec soi et à lire en marchant. Ceux du duc qui nous sont parvenus ne sont nullement de cette sorte. Les grandes dimensions de la plupart d'entre eux les rendent peu transportables, et de tous le luxe de l'exécution fait des livres de bibliophile, destinés à être feuilletés avec respect et précautions dans l'espace protégé d'une « librairie » — comme on avait alors le bon goût d'appeler en français ce que, par une inutile grécomanie, nous nommons maintenant bibliothèque. Voilà

déjà de quoi repousser à l'arrière-plan la pieuse raison d'être des Livres d'Heures. A les feuilleter cependant, et tout particulièrement celui que voici, on se sent plus éloigné encore du recueillement qu'ils devraient savoir inspirer. On est saisi d'une émotion haute, certes, et vive, mais assez peu religieuse. C'est la seule beauté qui l'inspire. C'est une émotion esthétique.

Si on regarde d'un peu plus près ces *Très Riches Heures du duc de Berry,* aujourd'hui conservées au musée Condé, à Chantilly, on s'avise que la personne glorifiée par le livre, ce n'est pas le Seigneur : c'est le duc. Le calendrier, dès janvier, nous le montre à table, assailli par une armée de courtisans. Là où, traditionnellement, un petit médaillon suffisait à montrer un homme en train de faire bombance, c'est une vaste scène qui couvre une page entière. Dans plusieurs des autres mois, qui sont tous traités aussi largement, le décor est fourni par un des châteaux du duc. Dans le corps de l'ouvrage, son auguste personne, reconnaissons-le, n'est pas rappelée avec trop d'insistance ; ses armoiries, son mystérieux chiffre VE, son ours et son cygne poignardé qui, croit-on, formeraient le rébus d'*Ursine,* nom d'une dame qu'il aimait, n'apparaissent que rarement. Mais la splendeur des images, l'invention déchaînée des architectures, des costumes, des équipages empêchent continuellement d'oublier que les artistes ont travaillé pour un maître chez qui la joie des yeux primait tout le reste, et notamment la méditation des profonds mystères du christianisme. Ce n'est pas ce « luxe pour Dieu » qu'a prodigué l'art sacré du Moyen Age. Ici, malgré les sujets traités, ou a bien le sentiment que c'est à Dieu que les artistes pensent le moins.

Les artistes. Plusieurs ont contribué à l'exécution des *Très Riches Heures,* et le partage des responsabilités ne va pas toujours de soi.

L'inventaire après décès des biens du duc porte cette mention qui, de l'avis unanime, concerne les *Très Riches Heures :* « Item en une layette plusieurs cayers d'unes très riches Heures, que faisait Pol et ses frères, très richement historiez et enluminez. » (Layette signifie boîte, cassette.) Donc, en 1416, année de la mort du duc, le livre était en cours d'exécution, encore sous forme de cahiers, non relié ; et les peintures déjà existantes étaient dues à plusieurs frères, dont l'un se nommait Pol. Avant d'identifier ces artistes, constatons que le manuscrit est maintenant achevé, et que les peintures exécutées pour le compléter sont très différentes des

yrieleison.

Xpeleison.

yrieleison.

Xpiste audi nos.

Pater de celis deus.

miserere nobis.

Fili redemptor mūdi deus miserere nobis

Spiritus sancte dñs miserere nobis.

Sancta trinitas unus deus miserere n.

Sancta maria ora pro nobis.

Sancta dei genitrix ora pro nobis.

Sancta virgo virginum. ora pro nob.

Sancte michael. ora

Sancte gabriel. ora

Sancte raphael. ora

geli z archangeli dei. ora.

Sancte iohannes baptista ora.

Omnes sancti phar de et prophete dei ora.

Sancte petre ora.

Sancte paule ora.

Sancte andrea. ora.

Sancte iacobe ora.

Sancte iohes. ora.

Sancte philippe. ora.

Sancte thoma ora.

Sancte iacobe ora.

Sancte mathee. ora.

Sancte thadee ora.

Sancte bartholome e. ora pro nobis. ora.

Sancte mathia. ora.

Sancte marce. ora.

Sancte luca. ora.

Sancte barnaba. ora.

précédentes. Paul Durrieu, voici soixante-quinze ans, a établi qu'elles sont dues à un peintre berrichon nommé Jean Colombe, à qui les avait commandées le duc Charles Ier de Savoie. L'effigie de ce prince faisant face, dans l'une d'elles, à celle de Blanche de Montferrat, épousée par lui en 1485, amène à situer l'œuvre de Jean Colombe entre cette année-là et 1489, date de la mort de Charles Ier. C'est donc soixante-dix ans environ après la mort de Jean de Berry et après avoir été laissées en suspens par leurs premiers enlumineurs que les *Très Riches Heures* ont été terminées.

La main de Jean Colombe — au sujet duquel se poursuivent actuellement des recherches encore confidentiel-les — se distingue aisément dans le manuscrit. Celles qui l'on précédée posent au contraire plus d'un problème.

Certes, on a identifié depuis longtemps « Pol et ses frères ». Ils étaient fils d'un sculpteur sur bois de Nimègue appelé Arnold de Limbourg, et neveux, par leur mère, de Jean Malouel qui, après avoir travaillé pour la reine Isabeau de Bavière, finit peintre du duc de Bourgogne. Ils se nommaient Pol, Jean (Jannequin, Janneken) et Herman. Leur présence à la cour du duc est attestée par beaucoup de documents de 1410 à 1415. Il faut peut-être remonter jusqu'à 1408 pour Pol, si on a raison de le reconnaître dans le « peintre allemand » alors occupé au château de Bicêtre que ce mécène prêt à tout pour ses artistes prétendit imposer comme époux à une fillette de huit ans dont le père était un riche bourgeois de Bourges nommé Le Mercier. Il semble bien que, sequestrée au château d'Étampes malgré les foudres mouillées du Parlement de Paris, la pauvre petite dut se résigner. Enfin, il est établi que les trois frères sont morts la même année que le duc, en 1416, en pleine jeunesse.

Mais ces renseignements biographiques n'aident en rien à délimiter dans les *Très Riches heures* les parts respectives des trois frères. Pour espérer y parvenir, il n'y a pas d'autre moyen que de regarder ces peintures. Et on s'aperçoit alors bientôt qu'un quatrième homme se distingue et s'impose.

L'examen du calendrier, par où il faut commencer, est particulièrement révélateur. Mise tout de suite de côté la peinture de novembre qui est de Jean Colombe, celles de janvier, d'avril, de mai et d'août sont manifestement de la même main : la main d'un artiste épris à la folie de la vie de cour, de ses couleurs, de ses ors, de son élégance, de son luxe, de ses grandioses fantaisies. Appelons-le, pour notre commodité, « le Courtois ». Ce n'est sûrement pas lui qui a peint le paysage neigeux de février, les scènes rustiques de juin et de juillet. Nous rencontrons là un autre peintre dont la manière est caractérisée notamment par la position des jambes des personnages debout, par le bleu de certaines robes, par la forme d'une coiffure noire de femme. Qu'il soit pour nous « le Rustique ». Regardons maintenant mars, octobre et décembre. Dans ces trois-là, un œil attentif ne peut moins faire que de discerner un artiste à l'inspiration toute différente des deux autres, distingué d'abord par une recherche toute nouvelle de l'illusion visuelle. Il a découvert et rendu ce qu'ils avaient ignoré : les ombres portées sur le sol par les êtres et les objets qui y sont posés. Comme le Rustique, il peint des humbles ; mais il les peint avec une tendresse apitoyée, consciente de leurs fatigues et de leurs épreuves : sur les visages du laboureur de mars, du semeur d'octobre, des piqueux et du valet de chiens de décembre, elles se lisent à livre ouvert. Il peint un cheval, mais qui a peu de ressemblance avec les montures aristocratiques de mai et d'août. Son espace, enfin, n'est qu'à lui ; en comparaison, les deux autres n'ont peint que des décors.

Ces décors, comme les arrière-plans du « maître aux Ombres » qui vient de nous apparaître, représentent le plus souvent, on l'a dit plus haut, un château. Les trois qu'a peints le Courtois pour avril, mai et août sont lointains, un peu estompés par la distance, et n'occupent que la partie centrale de l'horizon. Pour juin et juillet, le Rustique, au contraire, place ses architectures beaucoup plus près du premier plan, les déploie d'un bord à l'autre de son paysage et s'efforce d'en figurer tous les détails. Or, c'est ainsi qu'est traité le château de la peinture de septembre, non encore évoquée jusqu'ici ; mais la scène de vendange qui l'accompagne n'est pas du Rustique. Cette peinture, laissée inachevée au moment de la mort des frères Limbourg, aura donc été complétée par une main qu'on s'accorde à reconnaître comme celle de Jean Colombe. Que l'exécution en ait été d'abord confiée au Rustique, ce serait d'autant plus vraisemblable qu'outre la manière dont y est représenté le château, elle devait figurer, comme ses peintures de juin et de juillet, une récolte, Oui. Et pourtant un doute s'insinue à qui regarde de près la petite femme en rouge qui s'achemine vers le château, un panier plat posé sur la tête : elle n'est ni du Rustique ni de Colombe ; elle évoque irrésistiblement les petits personnages, malheureusement tous masculins, que nous voyons dans la peinture d'octobre circuler au pied du rempart. Or, celle-là est du maître aux Ombres... Serait-ce lui qui aurait commencé septembre ?

Les fonds architecturaux des trois peintures reconnues pour l'instant au maître aux Ombres laissent d'ailleurs perplexe. Si tous trois occupent toute la largeur de l'horizon, celui de mars est assez lointain, ocré — ce qui d'ailleurs peut être dû à sa couleur réelle — ; il est figuré avec le plus de détails possible, mais son éloignement les noie un peu. Au contraire, celui d'octobre est rapproché, plutôt blanc, pleinement lisible — et traité tout à fait comme le château de septembre, dont les flèches dorées ressemblent étrangement aux siennes et à nulles autres... Quant à décembre, nous nous trouvons en présence de plusieurs tours dont seules les parties hautes émergent des frondaisons desséchées et rousses d'une forêt d'hiver ; elles sont figurées avec minutie, mais à une échelle moindre que le château d'octobre. Si d'autre part on compare l'ensemble des trois compositions, on s'avise que le paysage de mars et les petits personnages qui l'animent respirent une sorte de naïveté peu comparable à la hautaine maîtrise dont témoignent ceux d'octobre. Pour tout dire, si le laboureur campé au premier plan de mars — ainsi que le champ où il vient de tracer ses sillons — est évidemment de la même main que le semeur d'octobre et les piqueux de décembre, la campagne qui s'étend derrière lui ressemblerait plutôt, architecture, terrain et personnages, au décor devant lequel chevauchent les chasseurs d'août, œuvre du Courtois. Avec mars, nous aurions donc, comme avec septembre, une peinture laissée inachevée par un Limbourg et complétée cette fois, non par Jean Colombe, mais par l'artiste que nous avons appelé le maître aux Ombres.

Avant de poursuivre, disons tout de suite que de ce maître aux Ombres il n'y a pas une autre peinture dans le reste du manuscrit, que sa manière, étant en évident progrès sur celle des Limbourg, engage à lui assigner une époque plus tardive, et que c'est confirmé par les costumes des petits personnages citadins — donc plus dépendants de la mode — figurés à l'arrière-plan d'octobre : ils ne peuvent guère être antérieurs au milieu du XVᵉ siècle. Quant à identifier ce peintre, dont l'intervention dans les *Très Riches Heures* se situerait donc une bonne trentaine d'années avant le travail de Jean Colombe, c'est à quoi on n'est pas encore parvenu ; la seule hypothèse proposée est fort peu convaincante.

Nous n'avons encore rencontré que deux des Limbourg. Pour aborder le troisième, il faut sortir du calendrier. Presque aussitôt nous tombons sur un *Saint Jean à Pathmos*, d'un graphisme très comparable à celui du Courtois, mais d'un effet subtilement différent. La même impression se dégage à première vue de la peinture suivante, *le Martyre de saint Marc,* et de celles qui, tout au long du manuscrit — sans compter, bien entendu, celles de Jean Colombe — traitent désormais des sujets spécifiquement religieux. Nous aurions donc là affaire au Limbourg plus particulièrement voué à ce que nous appelons maintenant l'art sacré, et que nous pourrions surnommer le Dévot. Pourtant une double page, celle où se font face la *Rencontre des Mages* et l'*Adoration des Mages,* alerte un regard attentif : si la *Rencontre* appartient, selon toute apparence, au Dévot, l'*Adoration,* soudain, nous replonge irrésistiblement dans l'ambiance de janvier, d'avril, de mai ; plus on la contemple, plus la main du Courtois y devient évidente. Dès lors, l'œil s'aiguise. La *Purification,* par exemple, ne devrait-elle pas lui être donnée ? Et le *Couronnement de la Vierge ?* Et la *Chute des anges rebelles ?* Ainsi, jusqu'au bout du livre, jusqu'au *Saint Michel* qui est la dernière peinture Limbourg, le regard s'efforcera, sans bien souvent atteindre à une certitude, de partager entre le Courtois et le Dévot.

Voilà quelques éléments pouvant servir à une chronologie générale de l'élaboration des *Très Riches Heures.* En voici un autre.

Les neuf châteaux ou ensembles d'architecture figurés dans le calendrier, compte tenu des identifications aujourd'hui admises, se répartissent ainsi :

Mars : château de Lusignan — Avril : château de Dourdan — Mai : l'île de la Cité à Paris (1) — Juin : l'île de la Cité (2) — Juillet : château du Clain, près de Poitiers — Août : château d'Étampes — Septembre : château de Saumur — Octobre : château du Louvre — Décembre : château de Vincennes.

D'après les attributions proposées plus haut, ces monuments se distribuent ainsi entre les artistes :

Limbourg Courtois : Lusignan, Dourdan, Cité (1), Étampes.

Limbourg Rustique : Cité (2), Poitiers, Saumur (?)

Maître aux Ombres : Louvre, Vincennes, Saumur (?)

On se souvient que les châteaux d'Étampes et de Dourdan furent pris par Jean sans Peur et le dauphin Louis en fin 1411. Certes, le duc endura avec philosophie ces déboires, et même la perte, plus cruelle encore, de Bicêtre, si du moins on en juge par la vie assez gaie qu'il continua à mener et à partager avec ses chers artistes. Tout de même, il n'est pas probable que le Courtois ait peint ces deux châteaux après leur chute. D'abord, le siège, au moins en ce qui concerne

Eus miserat̃
n̅r̅i et benedicat
nobis illuminet uul
tum suum super nos
et misereatur n̅r̅i.
Ut agnoscamus n
terra viam tuam in
omnibus gentibus
salutare tuum.
Confiteantur tibi

Étampes, y avait causé de graves dégâts ; ensuite, nous constatons que Bicêtre, beaucoup plus beau et dont le duc était certainement plus fier, ne figure pas dans le calendrier, apparemment parce que la peinture n'en était pas encore exécutée quand il fut incendié en 1411. *A contrario*, puisque Étampes et Dourdan y figurent, c'est qu'ils avaient été peints avant 1411. Le château de Lusignan qui, lui, est resté intact longtemps encore, a dû être portraituré nettement plus tard, puisque la peinture n'était pas achevée en 1416. Reste, dans le lot du Courtois, sa vue de la Cité, dont les divers édifices montrent leurs toits et quelque chose de leurs pignons et de leurs murs au-dessus des feuillages d'une forêt printanière. Le duc n'y possédait pas de demeure ; mais, remarque-t-on, il avait vue sur l'île de son hôtel de Nesle. En tout cas, rien ne permet d'assigner à cette peinture une autre date limite que celle de 1416.

Impossible également de préciser davantage les dates de la Cité du Rustique et de son château du Clain qui, appartenant au duc, n'a pas besoin qu'on justifie sa présence. Il en va autrement de Saumur : sans doute, le duc Louis II d'Anjou, qui venait d'en achever la construction, était le neveu de Jean de Berry, mais il était loin d'être le seul. Cette parenté n'explique donc rien. Il reste surprenant que le Rustique, du vivant de son maître, ait peint Saumur. Mais nous avons, rappelons-le, des raisons de nous demander si ce magnifique dessin d'architecture n'aurait pas plutôt pour auteur le maître aux Ombres. En ce cas, on n'aurait plus à lui chercher une raison d'être du côté du duc. C'est une considération qui s'ajoute aux autres en faveur de la même attribution. Quoi qu'il en soit, les deux châteaux sûrement peints par cet artiste dont on ne sait rien sont le Louvre et Vincennes, c'est-à-dire des demeures royales. On est tenté d'y voir l'indice que les *Très Riches Heures*, après la mort du duc de Berry et avant d'arriver entre les mains du duc de Savoie, ont pu séjourner dans les collections du roi de France. Mais les recherches d'archives que pourrait susciter cette hypothèse restent à faire.

Pour rendre moins incomplète cette analyse des *Très Riches Heures* — qui, pour n'être pas encore plus longue, néglige les petites miniatures in-texte et ne tient nul compte de la forme très variable du cadre des grandes — signalons que huit des grandes miniatures du manuscrit sont peintes sur des feuilles de parchemin indépendantes, qui ont été intercalées entre les cahiers déjà mis en ordre. Il s'agit des pièces suivantes : L'Homme et le Zodiaque, le Paradis Terrestre, la Rencontre et l'Adoration des Mages, la Purification, la Chute des anges rebelles, l'Enfer, le Plan de Rome. Toutes sont de la main des Limbourg.

Ce manuscrit, un des plus beaux et des plus fameux que nous ait laissés le Moyen Age, ne peut être suivi à la trace depuis la mort du duc de Berry. On vient de voir qu'il dut passer dans la librairie du roi de France, mais ce n'est confirmé par aucun document. On sait qu'il appartint au duc Charles de Savoie, qui en confia l'achèvement tardif à Jean Colombe. Il échut ensuite par héritage à Marguerite d'Autriche, fille de l'empereur Maximilien. Plus de trace des *Très Riches Heures* jusqu'au XVIIIe siècle, qui les voit recevoir une reliure en maroquin rouge aux armes des Spinola. Le baron Félix de Margherita, de Turin, en hérita. C'est à lui qu'en 1855 les acheta le duc d'Aumale. Elles furent rangées par ce grand collectionneur dans sa bibliothèque du château de Chantilly, avec lequel elles sont devenues, par testament, propriété de l'Institut de France.

Edmond Pognon

P.S. — Ces observations, réflexions et hypothèses, toutes personnelles, indépendantes et peu conformistes qu'elles sont, n'auraient pu être faites sans les travaux antérieurs du très savant Jean Longnon, qui a longtemps veillé comme conservateur de Chantilly sur les *Très Riches Heures* et les a profondément étudiées, de son successeur Raymond Cazelles, qui a collaboré avec lui pour présenter une belle reproduction complète du manuscrit, et qui a résumé en 1976 toutes les recherches antérieures dans son bel article de la *Revue française d'histoire du Livre* intitulé « Les étapes de l'élaboration des *Très Riches Heures du duc de Berry* », enfin du Dr Eberhard König qui, dans un numéro récent de la revue *Archéologia*, a signalé le premier le génie novateur du « peintre de l'Octobre » — notre maître aux Ombres — mais à vrai dire ne réussit pas à l'identifier de façon convaincante.

E. P.

JANVIER

Dans les calendriers des Livres d'heures, l'image de janvier, c'est un bon vivant qui se régale, dos au feu, ventre à table. Le bon vivant, ici, n'est autre que le duc de Berry, dont nous découvrons, sous une toque de fourrure timbrée d'un radieux solitaire, le profil épaissi par l'âge. Il a bien le dos au feu — mais protégé des flammes de la haute cheminée par un écran de vannerie — et le ventre à table : une table bien garnie, où ses chers petits chiens aussi trouvent leur compte. Et rien ne manque à sa gloire : au-dessus de sa tête, le dais à ses armes, orné de ses ours et de ses cygnes ; derrière, une tapisserie de bataille qui est peut-être celle qu'en 1385 on lui tissait sur place dans la grande salle du palais royal de Bourges (où se situerait alors la scène) ; devant lui, sa belle « salière du Pavillon », en or, à quoi répond, à gauche, tout un tas de pièces d'orfèvrerie ; et ses pages, somptueusement vêtus, qui le servent ; et tous ces visiteurs auxquels son chambellan, en manteau aux couleurs du dais, dit : « Approche, approche », et qui sans doute lui apportent à l'occasion de l'an neuf leurs vœux et aussi leurs présents, non sans espérer de belles étrennes. (Fol. 1v).

FÉVRIER

Le petit bonhomme de février qui se chauffe, parfois accompagné d'un chien et d'un serviteur apportant des fagots, s'élargit ici en un paysage neigeux. En supprimant un mur à la maison, l'artiste a sauvegardé la scène d'intérieur, sans se priver de l'étoffer. La dame bien mise qui, au premier plan, soulève à peine sa jupe pour offrir ses jambes aux flammes, détourne la tête pour ne pas voir ce que montrent ingénument à la cheminée son fermier et sa fermière. Dehors, le ciel est noir, la terre est blanche ; personnages, animaux, accessoires, constructions proches et lointaines, tout traduit un hiver profondément vécu et contemplé par l'artiste. (Fol. 2v).

MARS

L'occupation traditionnelle de mars dans le calendrier, c'est la taille de la vigne. Voici, dans un enclos, trois vignerons qui s'en chargent, et dans un autre une vigne déjà taillée. Le peintre inconnu dont nous reconnaîtrons la manière en octobre et en décembre y a représenté, en premier plan, un homme guidant sa charrue. Le champ qu'il laboure est visiblement de sa main, mais le reste du décor semble de celle d'un des Limbourg. Loin vers la gauche, un berger porte à pleins bras une grosse botte d'herbes au milieu de ses moutons qui paissent dans un pré ; à droite un paysan tamise du grain dans un sac. Au croisement des chemins qui délimitent ces quatre scènes, un édicule gothique se dresse, ce qu'on appelait une montjoie. Et au fond se déploie le premier des châteaux figurés dans ce calendrier, celui de Lusignan, avec sa tour surmontée d'un serpent ailé doré, une des formes que prenait la fondatrice et protectrice du château, la fée Mélusine, dont Jean d'Arras, secrétaire du duc de Berry, avait recueilli la légende en un manuscrit conservé dans la librairie de Mehun-sur-Yèvre. Le château de Lusignan fut rasé en 1575. (Fol. 3v).

AVRIL

Ce mois est dans tous les calendriers celui où on cueille des fleurs. C'est à quoi s'occupent, penchées vers le gazon, deux élégantes filles, mais elles retiennent moins l'attention que le groupe princier qui, plus à gauche, conclut évidemment des fiançailles. On a proposé divers noms pour ces deux seigneurs et ces deux dames, mais sans souffler mot du petit garçon que nous entrevoyons tout à fait à gauche. Dans le château qui décore l'horizon, il semble qu'il faille reconnaître celui de Dourdan, dont le gros œuvre subsiste aujourd'hui en partie. Le plan d'eau qu'il domine serait alors la rivière appelée l'Orge, bien que l'artiste ait représenté plutôt un étang. Noter l'intéressante perspective cavalière du verger clos de murs et de l'édifice à créneaux figurés à droite. (Fol. 4v).

MAI

Pour mai, l'artiste nous montre des garçons et des filles à cheval. Il se conforme ainsi à la tradition, mais il fait bonne mesure. C'est toute une cavalcade, précédée de musiciens qui soufflent dans une « buisine », dans trois flûtes et dans un trombone ; un disque d'or accroché à l'épaule gauche les distingue. Le cavalier en bleu, monté sur un cheval gris au tapis de selle rouge, pourrait figurer le duc du temps de sa jeunesse : ses inséparables petits chiens le suggèrent. Les robes des trois dames en vert qui chevauchent derrière lui sont du « vert gai » en usage pour célébrer le premier mai ; tout ce monde d'ailleurs porte, comme il se doit, du vert en ce beau jour : celui des feuillages dont s'ornent les têtes ou les cols ; les buissons d'églantine d'où ils viennent ne sont pas loin. Les toits qui émergent des frondaisons sont ceux du palais de la Cité, à Paris. Aujourd'hui encore, nous pouvons y reconnaître la tour de l'Horloge et celles de la Conciergerie. (Fol. 5v).

JUIN

La fenaison symbolise juin. Sur cette rive gauche de la Seine qui fait face au palais de la Cité figuré une seconde fois, mais bien plus complètement qu'en mai, le soleil doit taper assez dur, à en juger par les jambes nues des trois faucheurs, par les robes légères des deux faneuses, par les chapeaux et les fichus qui protègent les têtes. Le haut édifice surmonté d'une croix est la Sainte-Chapelle. La grosse tour ronde à toit pointu était la tour Montgommery. L'artiste a animé ses architectures par des personnages minuscules : un qui s'introduit dans la poterne donnant sur la Seine par trois marches incurvées, et une vraie petite foule qui gravit l'escalier couvert menant à l'étage du pavillon d'angle. (Fol. 6v).

JUILLET

Le miniaturiste a groupé sur juillet la moisson, qui en est le thème ordinaire, et la tonte des moutons qui, dans les calendriers où elle existe, prend plus généralement en juin la place de la fenaison. On remarquera que si les plantes fourragères se coupent à la faux, les céréales se moissonnent à la faucille : c'est qu'il ne faut pas trancher les tiges au pied, mais à mi-hauteur afin de laisser sur le champ de la paille pour les bêtes. On distingue dans les mains des tondeurs les *forces* dont ils se servent. Au bord du Clain, en vue du château de Poitiers, il semble qu'il ne fasse pas tout à fait aussi chaud qu'en juin sur la berge de la Seine : les travailleurs, sauf un, sont moins légèrement vêtus. Construit non loin de la ville, dont le séparait un bras de la Boivre, pour le duc lui-même au temps de sa jeunesse, le château de Poitiers a aujourd'hui complètement disparu. (Fol. 7v).

AOUT

Le calendrier des Très Riches Heures est le seul, semble-t-il, qui affecte au mois d'août un thème cynégétique : la scène ordinaire est le battage du blé. Ici, deux jeunes seigneurs, portant leur dame en croupe, accompagnés d'une dame seule sur son cheval blanc, partent pour la chasse au vol. Les faucons, sur les poings gantés, paraissent déjà assez excités. La dame sans cavalier porte un manteau identique à celui du jeune seigneur qui, en mai, nous a semblé pouvoir être pris pour le duc de Berry ; ce n'est sûrement pas un hasard, mais la raison nous en échappe. Au pied du château d'Etampes, dont la haute « tour Guinette », encore visible aujourd'hui quoique en ruine, se reconnaît sans équivoque possible, la moisson s'achève : on entasse les gerbes sur une charrette. Plus bas coule la Juine ; sa fraîcheur a attiré quatre baigneurs, dont au moins une femme qui, déjà toute nue, n'a encore que les pieds dans l'eau. (Fol. 8v).

SEPTEMBRE

Septembre appelle inévitablement les vendanges. Si indépendants qu'ils soient, les enlumineurs des Très Riches Heures n'ont pas pu y échapper. Le vignoble choisi est celui de Saumur, un meilleur cru assurément que ceux dont pouvait disposer le duc dans son Berry ou dans son Poitou. Le château, que nous pouvons reconnaître à ce qui en reste aujourd'hui, appartenait à son neveu Louis II d'Anjou, qui venait de le faire construire. Remarquer, en bordure de la vigne, la curieuse barrière opaque, semblant faite d'osier ou de joncs tressés et noircis, dont la destination n'est pas évidente ; plus à droite, une petite montjoie beaucoup plus simple que celle de mars, et d'un style plus tardif ; sur le chemin qui mène au château, une femme en rouge portant un panier sur la tête ; à gauche de la poterne du pont-levis, la haute cheminée de la cuisine, semblable à celle de l'abbaye voisine de Fontevrault. (Fol. 9v).

OCTOBRE

Les semailles sont le thème obligé d'octobre. Le peintre dont nous avons pu admirer la manière dans le mois de mars a fait ici mieux encore si possible. Il s'est placé sur la rive gauche de la Seine, à la hauteur de l'actuel palais de l'Institut, donc face au Louvre, qui se dresse sur l'autre rive, en l'état où l'avait porté Charles V. Outre l'extraordinaire précision de ce dessin d'architecture, retenons les petits promeneurs du quai, dont les costumes sont nettement postérieurs à la vieillesse du duc, l'épouvantail en forme d'archer, secondé dans son office par un léger réseau de fils tendus supportant des plumes ; la pierre qui alourdit la herse, les pies voleuses... Le cheval, bien que remarquablement dessiné, ne marche pas comme il devrait : comme tous les artistes du Moyen Age, le peintre du mois d'octobre ne s'était pas rendu compte que les équidés, au pas, avancent en même temps l'antérieur droit et le postérieur gauche, et inversement. La même remarque s'applique aux chevaux des Limbourg déjà vus aux mois de mai et d'août, et à ceux que nous verrons dans la « Rencontre des mages ». (Fol. 10v).

NOVEMBRE

Encore un thème parfaitement traditionnel : la « glandée » de novembre que Jean Colombe, soixante-dix ans après le travail des frères Limbourg, a figurée sans y rien ajouter. Les glands sont mûrs en ce mois-là, et les porcs, élevés beaucoup plus en plein air que les nôtres, en sont friands. Pour les faire tomber des chênes, le porcher, ici, lance un bâton dans les branches. Son attitude est remarquablement observée, mais il a un laid visage. C'est une convention dans l'iconographie médiévale que les rustres ne sont pas beaux. Jean Colombe l'observe plus docilement que les précédents enlumineurs des Très Riches Heures, dont les paysans et les paysannes sont peints avec autrement de tendresse. Joli effet de sous-bois et de lointain bleuté vu à travers la futaie. (Fol. 11v).

DECEMBRE

En décembre, dans tous les calendriers, on tue le cochon. Le maître des mois de mars et d'octobre a observé la tradition à sa manière : la victime est bien un porc, mais un porc sauvage, autrement dit un sanglier. Et au lieu d'être saignée dans une cour de ferme, elle succombe au bout d'une longue poursuite. Dernier acte d'une chasse à courre, sport noble par excellence, où on s'étonne de ne pas rencontrer des seigneurs bien en selle. L'artiste a préféré les tenir à l'écart pour ne nous montrer que de ces humbles qui ont sa prédilection : deux piqueux, dont un sonne de la trompe, et un valet de chiens barbu, qui a fort à faire pour retenir ses bêtes ardentes à la curée. De la forêt encore rousse dépassent les tours du château de Vincennes agrandi par Charles V et très différent de ce qu'il était quand, en 1340, y naquit Jean de France, futur duc de Berry. (Fol. 12v).

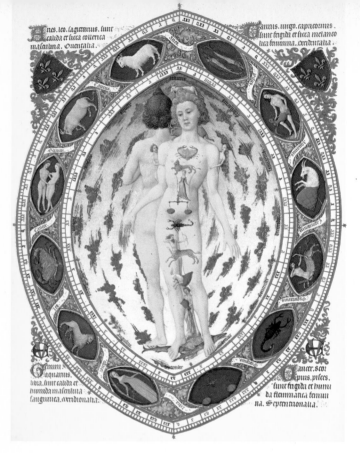

L'HOMME ET LE ZODIAQUE

On appelle d'ordinaire cette peinture « l'homme anatomique ». Mais il s'agit d'astrologie, non d'anatomie. Le duc de Berry, dont on voit en haut, à droite et à gauche, les armes, et en bas le chiffre mystérieux VE, aimait cette science. Il s'agit ici d'illustrer les rapports qui existent entre l'être humain et les signes du Zodiaque. Aux quatre angles, des textes répartissent ces signes, trois par trois, entre les quatre tempéraments : colérique, mélancolique, sanguin, flegmatique. Dans l'amande centrale, deux figures humaines dos à dos, étrangement androgynes. On prétend ordinairement que l'être vu de face est féminin ; mais l'étroitesse des hanches, la largeur des épaules, les biceps, les pectoraux secs n'incitent pas à le croire, d'autant que, dans la bordure, à gauche, l'artiste montre, avec sa petite représentation des Gémeaux, qu'il sait fort bien ce qui caractérise un corps de femme. L'être qu'on voit de dos a la hanche plus large, l'épaule plus tombante, le bras moins musclé, bref c'est le plus féminin des deux. L'ambiguïté subsiste, et elle est sûrement voulue, dans une intention qui nous échappe. Seule est claire pour nous l'attribution d'un signe du Zodiaque à chaque partie du corps.

Dans aucun autre livre d'Heures, on ne trouve cette composition. Ici même, elle ne figurait pas dans le plan primitif : elle constitue le premier des huit hors-texte. En pensant aux rapports du Zodiaque avec l'année solaire, on peut le prendre pour un supplément au calendrier. (Fol. 14v).

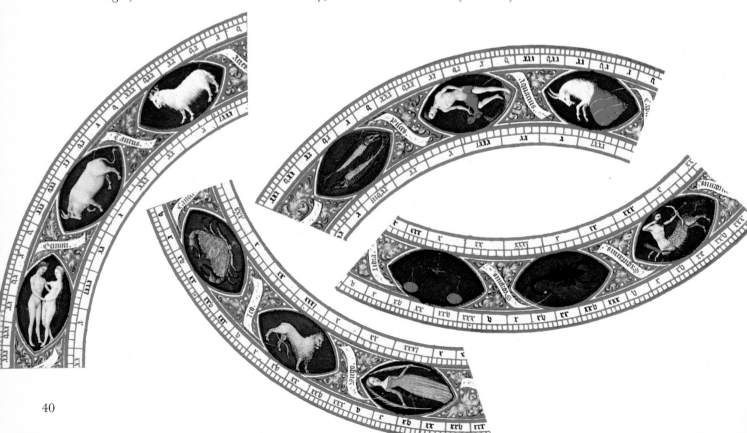

SAINT JEAN A PATHMOS

Nous entrons maintenant dans le texte du livre d'Heures. Il commence par des extraits des Evangiles, ce qui justifie des peintures représentant les évangélistes.

Voici saint Jean, qui, comme on sait, avant d'écrire son Evangile, fut exilé en l'île de Pathmos où il eut une vision qu'il relata ensuite dans son Apocalypse. Il entend les trompettes, et il voit déjà le triomphe du Christ entouré des vingt-quatre vieillards couronnés et vêtus de blanc, que l'artiste a représentés assis dans des stalles comme on en voit dans le chœur des églises. Les quatre têtes rouges emmitouflées dans des ailes jaunes sont quatre chérubins ; en regardant bien, on voit qu'ils sont pourvus chacun de trois paires d'ailes. Les trois trompettes sont trop, si elles illustrent la « voix forte, comme d'une trompette », qu'entendit tout d'abord Jean, ou trop peu, si elles se rapportent aux sept dont il est question aux chapitres VIII et IX. L'objet rouge que l'aigle tient en son bec est une écritoire de voyage. (Fol. 17v).

MARTYRE DE SAINT MARC

Autre évangéliste favorisé d'une peinture à pleine page, saint Marc est ici représenté au moment où commence son martyre. Le saint, qui prêchait la Bonne Nouvelle à Alexandrie d'Egypte, est attaqué par des païens au pied de l'autel où, comme l'indique sa chasuble, il était en train de célébrer la messe. L'artiste, qui suit le récit de la *Légende dorée,* a vêtu ses Egyptiens à l'orientale, mais n'a pas donné autant de couleur locale aux rues d'Alexandrie. Ses architectures urbaines, les premières que nous rencontrons dans le manuscrit, sont plutôt italiennes et rappellent la manière des maîtres florentins et siennois qui ont beaucoup inspiré les Limbourg. (Fol. 19v).

...temerata et
...ternum bene
dicta ...singularis at
...incomparabi ...lis virgo dei geni
trix maria gratissimum dei templum spiritus sā
sacrarium ianua regni celorum. per quam post
deum totus vivit orbis terrarum de te dei genitrix
filius dei verus et omnipotens deus suam sacratis
simam fecit matrem assumens de illa sacratissiā;
carnē per quem mundus qui perditus erat salva
tus est. Cuius preciosissimo sanguine suo mundo

redemptus est. et
omnia peccata
et remissa sunt
formans eam i
preciosissimo sā
guine tuo nives
eam eterne et in
commutabili
divinitatis sue
a quo bona cuc
ta procedunt p

LA VIERGE, LA SIBYLLE ET AUGUSTE

Texte et images, cette page forme un tout. Au seuil des Heures de la Vierge, elle chante la gloire de Marie, mère du Sauveur. C'est le sens de la prière, la seule du volume à être écrite à longues lignes et non sur deux colonnes ; c'est le sens des trois miniatures : la Sibylle, prophétesse païenne, a la vision d'une femme portant un enfant, rayonnant comme un soleil, et qu'une voix lui désigne comme « l'autel du fils de Dieu » ; à l'empereur Auguste, venu justement la consulter, elle annonce donc la naissance d'un roi plus puissant que lui. Il la croit et adore de confiance. Comme beaucoup d'artistes occidentaux, le peintre a donné à l'empereur l'aspect de celui qui régnait de son temps à Constantinople. (Fol. 22v).

LE PARADIS TERRESTRE

Second des huit hors-texte, cette miniature, qu'il vaudrait mieux intituler « le
péché originel », est insolite dans un livre
d'Heures. Elle n'est pourtant pas mal
placée en tête des prières adressées à la
Mère du Rédempteur, qui est venu
réparer la faute d'Adam. Non moins
exceptionnelle est d'ailleurs la composition
de cette image sans bordure rectangulaire,
en communication directe avec le blanc
du parchemin, où s'accentue par là même
la clôture rigoureuse du Paradis exacte-
ment circulaire, symbole de perfection. Il
est évident que, hors de ce cercle, on ne
peut qu'errer sans protection dans
l'immensité d'un monde hostile. Et c'est ce
qui arrivera au premier couple humain
quand Eve, tentée par un joli démon, aura
partagé avec Adam le fruit défendu. Les
voilà condamnés par Dieu, chassés par
l'ange et qui, nus, ne se sentent plus beaux
mais indécents. L'artiste a donné à Eve le
ventre proéminent des femmes à la mode
de son temps. L'anatomie d'Adam, moins
marquée par l'époque, est inspirée d'une
statue hellénistique encore visible aujour-
d'hui au musée d'Aix-en-Provence. (Fol.
25v).

L'ANNONCIATION

L'annonce faite par l'ange Gabriel à Marie de sa maternité surnaturelle est un sujet si étroitement lié au mystère de l'Incarnation que la manière de la représenter était sévèrement fixée. L'artiste n'a pu moins faire que de mettre au bras de l'ange une branche de lys, symbole de pureté, dans son autre main la banderole où se lit au moins en partie sa salutation : « *Ave gratia plena* » ; le Saint-Esprit envoyé par Dieu le Père sous la forme d'une colombe qui descend vers la Vierge surprise en train de lire la Bible n'est pas moins de rigueur. La fantaisie s'est réfugiée dans l'architecture compliquée de l'oratoire, dans les anges musiciens rassemblés au-dessus de la voûte, dans le décor des marges qui ne se borne plus à des rinceaux échappés des initiales ornées, mais s'émancipe en petits motifs autonomes d'anges musiciens auxquels s'ajoutent deux écus de Berry, portés chacun par l'ours et le cygne chers au duc. (Fol. 26).

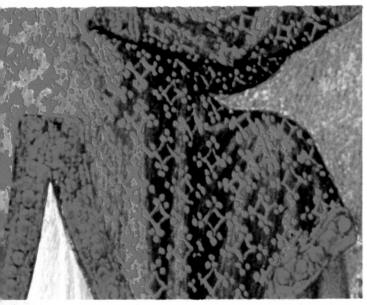

Dnunc la   aabit laudem mam.
bia mea a   Eus madurto
piues.   num meum
tos meum annu   mende.

omnē aratura aſcendē

Dumine dūs
nr quam ad
mirabile eſt nomen tu
um in unuuerſa terra.
Quoniam elenata
eſt magnificencia tua
ſuper celos.
Er ore infancium

DAVID VOIT EN ESPRIT LE CHRIST

Voici un échantillon des pages de texte où la miniature n'occupe qu'une partie des deux colonnes. Dans les petites compositions, l'artiste use volontiers de fonds décoratifs — qu'on a déjà pu remarquer derrière la Sibylle et Auguste — plutôt que de paysages qui s'y trouvent à l'étroit. Celle-ci illustre le psaume VIII dont le début peut se traduire ainsi : « Seigneur, notre Dieu, quelle merveille que ton nom d'un bout à l'autre de la terre ! Ta majesté s'élève au-dessus des cieux. » Rien dans la suite du texte n'appelle la famille africaine à la peau noire qui fait face au roi David, auteur de ce poème. L'artiste a peut-être voulu symboliser des humains de « l'autre bout de la terre... ». (Fol. 27v).

LA VISITATION

L'ange de l'Annonciation avait ajouté : « Elisabeth, votre parente, a conçu un fils, elle aussi, dans sa vieillesse, et c'est le sixième mois de celle qu'on disait stérile. » Marie s'est aussitôt hâtée vers la ville de Judée, dans la montagne, où demeurait sa parente — future mère, comme on sait, de saint Jean-Baptiste. Comme elle la saluait, Elisabeth a senti l'enfant bouger en elle et, remplie du Saint-Esprit, s'est écriée : « Bénie êtes-vous entre toutes les femmes, et béni le fruit de vos entrailles ! » L'artiste a supposé qu'en disant ces mots, elle fléchissait le genou. Il n'a pas manqué de figurer un paysage de montagnes et la ville qui s'y blottit. Il a pris la liberté de situer à bonne distance la maison d'Elisabeth. Il s'est montré plus libre encore dans le décor franchement comique des marges. (Fol. 38v).

PRIERE ET MEDITATION NOCTURNE DE DAVID

Dans ce bon échantillon de page comportant deux miniatures dans le texte, nous avons affaire à deux illustrations de psaumes « de David ». Le psalmiste couronné nous est montré vêtu de la fastueuse robe rose que l'artiste lui fait porter chaque fois qu'il le représente, d'abord à genoux devant un autel supportant les tables de la Loi. Le curieux cône qui les surplombe ne saurait être, comme on l'a cru, une lanterne : fait comme il est, la moindre chandelle y mettrait le feu, et on voit d'ailleurs fort bien qu'il n'en sort aucune lumière ; il doit plutôt servir à attirer la vénération sur la Loi, comme le fait un dais tendu au-dessus d'un grand personnage. La miniature illustre le psaume C : « Acclamez le Seigneur, toute la terre ! Servez le Seigneur dans la joie... » L'autre figure David voyant en songe la résurrection du Christ ; elle accompagne le psaume LXIII sans le serrer de bien près ; le verset qui la justifierait le moins mal est le 7e : « Quand, la nuit, je me souviens de toi... » (Fol. 39v).

fis ii iuitiait ciii
omnes fines terre. 🔹
gloria patri et filio.

LES TROIS HÉBREUX DANS LA FOURNAISE

Au VIIᵉ siècle avant notre ère, les Hébreux étant sous la domination du roi de Babylone Nabuchodonosor II, trois d'entre eux refusèrent d'adorer sa statue. Il les fit jeter dans une fournaise, mais ils n'en ressentirent aucun mal et on les entendit chanter un cantique à la gloire de l'Éternel. Le récit du Livre de Daniel ajoute que se joignit à eux dans la fournaise un quatrième personnage dont l'aspect « était comme celui d'un fils des dieux ». Remarquer la fumée que l'artiste s'est plu à faire remonter dans la marge. (Fol. 40v).

enedicite omnia
opera domini
domino: laudate et su
perexaltate eum in se
cula.

LA NATIVITÉ

Cette charmante miniature rassemble tous les éléments traditionnels qui, de nos jours ou tout au moins
hier encore, entraient dans la composition des crèches
de Noël. Elle en ajoute même : ces quatre petits anges
bleus en forme d'oiseaux qui s'empressent autour du
petit Jésus se rencontrent rarement ailleurs, pour ne
pas dire jamais. Saint Joseph, exagérément vieilli par
sa longue barbe blanche, est coiffé d'un turban à
bonnet pointu, en Oriental qu'il est. Le Père dans sa
gloire céleste, le Saint-Esprit entre ciel et terre,
déversent leurs rayons sur le Fils : la Trinité est
complète et mêle son mystère à celui de l'Incarnation,
qui s'accomplit en ce moment même. (Fol. 44v).

L'ANNONCE FAITE AUX BERGERS

Tout ce que nous montre cette peinture se trouvait déjà dans celle de la Nativité, mais en arrière-plan. Ici, les bergers et les anges qui les convient en musique à la crèche sont le sujet principal, ou plutôt unique. On remarquera que, si les figures sont peintes avec un certain réalisme, le paysage est très stylisé et ne ressemble que de loin aux suggestifs paysages des miniatures du calendrier. (Fol. 48).

LA RENCONTRE DES MAGES

Comme pour dédommager le duc du minable accoutrement des bergers, et peut-être de la misère de la crèche, l'enlumineur prodigue les richesses et l'orientalisme le plus débridé dans le thème fastueux des rois mages, et le traite plutôt deux fois qu'une : avant de les montrer prosternés devant l'enfant-dieu, il les imagine au moment où leurs trois cortèges, partis de leurs divers royaumes, se rencontrent, guidés par l'étoile. Tout naturellement, le lieu où se rejoignent leurs chemins est marqué par une montjoie à fines sculptures, enrichie de statues de bronze. Les artistes se sont toujours attachés à différencier nettement Melchior, Balthazar et Gaspard; souvent ils font de Gaspard un noir. Ici, c'est plutôt l'âge qui les distingue. Le plus vieux serait Melchior, le roi à barbe noire Balthazar, l'imberbe Gaspard. A l'horizon, l'enlumineur a tout bonnement représenté la Cité et la Butte Montmartre; plus à droite, le château perché sur un pic a une tour qui évoque celle de Montlhéry. Réserve faite de cet horizon parisien, il existe au musée de l'Académie de Florence une peinture de Gentile de Fabriano très proche de celle-ci, mais datée de 1423, donc postérieure d'au moins sept ans. Les deux artistes auraient-ils eu un modèle commun ? (Fol. 51 v).

L'ADORATION DES MAGES

Beaucoup plus usuelle que la Rencontre, cette Adoration des Mages lui fait face dans le manuscrit. On devine toutefois une légère différence de manière, à l'avantage de celle-ci, où les formes sont plus élégantes encore, les couleurs plus délicates, les harmonies plus subtiles. Le peintre n'en a pas moins veillé à figurer les personnages semblables à ceux de la Rencontre et vêtus à peu près de même. La présence des bergers, en arrière-plan, n'a rien qui surprenne. Celle de plusieurs jeunes femmes, dont deux nimbées, agenouillées derrière Marie, s'explique moins aisément. Ce sont sans doute de saintes filles qui sont venues spontanément aider la mère du petit Jésus et mettre un peu de confort dans la crèche qu'elle n'a pas quittée, mais où nous la voyons maintenant assise sur un tapis. Dans la ville qu'on voit au loin, on reconnaît Bourges. (Fol. 52).

LA PURIFICATION

Marie s'est rendue au temple de Jérusalem pour y être « purifiée » et pour y présenter son petit enfant. Saint Luc rappelle le texte de la loi de Moïse : « Tout premier-né sera consacré au Seigneur. » On devait apporter pour le sacrifice « une paire de tourterelles ou deux petits de colombe ». De cette démarche toute simple, l'artiste, en rehaussant superbement le portail du sanctuaire, a tiré un effet grandiose. Il n'a pas chargé Marie elle-même de porter les tourterelles : la femme magnifique qui monte les degrés en les tenant dans un panier, un cierge dans l'autre main, semble détachée du groupe féminin massé derrière la Vierge Mère, et qui observe son ascension avec intérêt. Ce sont les mêmes que nous avons remarquées dans la crèche au moment de l'Adoration des Mages. On dirait que l'enlumineur, ne pouvant supporter longtemps le dénuement de la Mère de Dieu, et n'en ressentant nullement la grandeur, s'est dépêché de l'entourer de filles d'honneur. L'ordonnance générale de cette miniature se retrouve dans plusieurs œuvres italiennes, et d'abord dans une fresque de Santa-Croce de Florence figurant la Présentation de la Vierge, peinte par Taddeo Gaddi, et dont le dessin original est aujourd'hui au Louvre. (Fol. 54v).

LE REPOS EN ÉGYPTE

Nous voilà soudain dépaysés par la manière de Jean Colombe, de soixante-dix ans plus tardive. C'est un épisode de la fuite de la Sainte Famille en Égypte. Pendant une halte, Marie voit sur un arbre des fruits qui la tentent. Sur l'injonction du petit Jésus, l'arbre se courbe pour que Joseph puisse les cueillir. Les autres personnages, garçons et filles, sont des habitants du pays traversé. Dans le bandeau inférieur, le peintre a illustré un autre miracle légendaire de l'enfant-Dieu : passant près d'un paysan qui ensemençait son champ, Jésus avait lancé lui-même une poignée de grains, et tout aussitôt le champ entier s'était couvert de blé mûr. Surviennent les gens d'Hérode, qui demandent à l'homme s'il a vu les fugitifs. « Oui, répond-il, quand je semais ce blé. » (Fol. 57).

LE COURONNEMENT DE LA VIERGE

Remarquer, au milieu des anges musiciens, celui qui tient la couronne et s'apprête à la poser sur les cheveux blonds de la Vierge. Dans l'assistance, on reconnaît, à droite, saint Pierre (robe rose, mains croisées sur la poitrine) ayant à sa gauche saint Paul; plus bas, sainte Claire en religieuse; en bas, à gauche, après un évêque non identifié, saint François et saint Étienne dans sa dalmatique de diacre. Inutile de souligner la beauté de l'ensemble, comme de faire remarquer les demi-cercles qui, en haut et de part et d'autre, élargissent le rectangle. (Fol. 60v).

LA CHUTE DES ANGES REBELLES

On le sait, les démons sont des anges qui, à la suite du plus beau d'entre eux, Lucifer, se sont révoltés contre Dieu. La vocation de tous les anges est de célébrer la gloire du Très-Haut. L'artiste a tout naturellement symbolisé cette activité en les représentant assis en rangs dans des stalles, comme les moines ou les chanoines chantant les offices dans le chœur de leur chapelle ou de leur cathédrale. Les sièges vides — nombreux — sont ceux des révoltés qui, tout aussitôt, sont précipités la tête la première et, dans leur chute, prennent feu, inaugurant ainsi les flammes de l'enfer. Le peloton de guerriers, sous le trône de Dieu, constitue la « milice céleste » ; son rôle ne paraît pas essentiel. Cette miniature est le troisième hors-texte du manuscrit ; elle a été insérée en tête des psaumes de la pénitence. (Fol. 64v).

LA PROCESSION DE SAINT GRÉGOIRE

L'enlumineur donne ici une nouvelle preuve de son indépendance : alors que les marges restent normalement blanches ou décorées de rinceaux, parfois de sujets de fantaisie, il a pris dans cette double page le parti de les remplir, ainsi qu'une colonne demeurée sans texte, avec une grande composition figurative. Le sujet se prêtait à la forme particulière ainsi imposée à l'image : un défilé de petits personnages s'inscrivant aisément dans une bande horizontale inférieure, passant devant de hauts monuments qui, au moins en partie, trouvent place dans les vides verticaux. Il s'agit de la procession que le pape saint Grégoire le Grand ordonna de faire autour de Rome en 590, pour

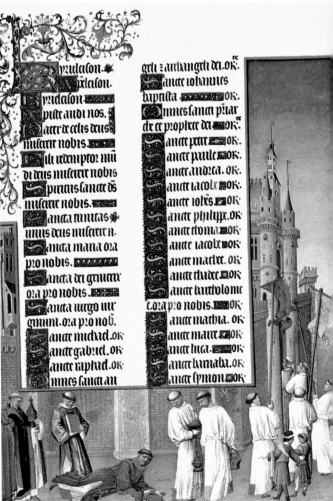

nunc ꝓ̃o tuo que redemiſti
ꝓꝰ in oꝛdᷤ oꝰ uniuerſuſ
num uaſauis nobis. Let.

mnes ſancti an   ancte ſym

obtenir du Ciel la fin de la peste qui désolait la ville. On reconnaît le pontife, qui marche en suppliant le Seigneur derrière une châsse contenant des reliques, suivi de quatre cardinaux. Il a l'air d'apercevoir, au sommet du mausolée d'Hadrien, un ange qui remet au fourreau son épée sanglante. C'est le signe que la colère de Dieu s'apaise. Le monument s'appellera dès lors le château Saint-Ange. Mais la peste tue encore : on voit tomber un diacre en dalmatique bleue, qui portait un petit reliquaire, et, derrière les cardinaux, un moine et un jeune garçon. Une femme en bleu semble se trouver mal, au grand émoi de ses deux enfants. Les monuments de Rome sont figurés sans aucun souci d'exactitude. (Fol. 71v-72).

LES OBSÈQUES DE RAYMOND DIOCRÈS

Raymond Diocrès, chanoine de Notre-Dame de Paris, prédicateur éloquent, très pieux, passait pour un saint homme. Il mourut. Pendant la messe dite pour le repos de son âme, il souleva le couvercle de son cercueil et proféra : « J'ai été condamné au juste jugement de Dieu. » Émoi de l'assistance. Le bandeau en bas de page illustre le *Dit des trois morts et des trois vifs.* Dans les bordures, en médaillons, allégories de la mort et scènes de la vie de saint Bruno, fondateur de l'ordre des Chartreux, qui aurait été incité à se retirer dans la solitude par l'effrayante histoire de Raymond Diocrès. Cette miniature illustre l'office des Morts. (Fol. 86v).

LA VICTOIRE DE DAVID

Les guerriers de David sont cuirassés d'or; les armures des méchants ennemis sont d'un gris d'acier bruni. Il est difficile de comprendre pourquoi elles laissent à découvert la partie postérieure de leurs cuisses. En tout cas, les vainqueurs en profitent... Le cavalier ennemi, à droite, semble bien avoir l'avant-bras droit coupé. Quoi qu'il en soit, la meilleure partie de cette peinture est le paysage, dont l'aspect paisible contraste heureusement avec l'agitation sanglante du premier plan. (Fol. 95).

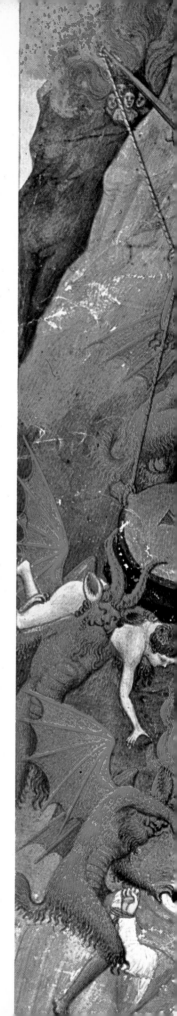

L'ENFER

Selon un commentateur du siècle dernier, « cette peinture semble directement inspirée par les fresques d'Orcagna du Campo Santo de Pise. » Mais à vrai dire, pour l'artiste désireux de peindre l'Enfer, les sources d'inspiration, au moyen âge, étaient innombrables. Peut-être le souffle enflammé du Léviathan, qui entraîne dans son mouvement ascendant une douzaine de damnés, est-il le détail le plus original. Ce qui ne l'est pas, en tout cas, c'est le nombre, proportionnellement considérable, des clercs tonsurés de tout grade qui ont mérité les flammes éternelles : les gens du moyen âge ne se faisaient aucune illusion sur les vertus de leurs prêtres. Curieusement, les visages n'expriment pas une atroce souffrance. Ils sont plutôt tristes et comme résignés. L'horreur de l'ensemble, soutenue par les savantes perfidies de l'éclairage, n'en est pas du tout atténuée. Cette miniature est un hors-texte ajouté à l'Office des Morts. (Fol. 108).

LE BAPTÊME DU CHRIST

« En ces jours-là, Jésus vint de Nazareth en Galilée, et il fut baptisé par Jean dans le Jourdain. Au moment où il remontait de l'eau, il vit le ciel s'ouvrir, et l'Esprit comme une colombe descendre sur lui ; et des cieux vint une voix : Tu es mon fils bien-aimé, tu as toute ma faveur. » Jean Colombe a condensé dans sa peinture les deux phases du récit de saint Marc : Jean baptise encore Jésus quand déjà la colombe descend du ciel. Il a représenté dans le ciel « ouvert » le Père, dont seule la voix est attestée par l'évangéliste. Il lui a donné l'aspect d'un homme dans la force de l'âge et non d'un vieillard, comme le figure au contraire le peintre du Paradis terrestre (voir page 46). Les anges, à gauche, portant les vêtements de Jésus, sont traditionnels, mais inopportuns. Le paysage aux lointains bleutés, même si on juge le procédé un peu trop systématique est, dans cette peinture comme en d'autres, ce qu'on peut préférer chez Jean Colombe. (Fol. 109v).

LE PURGATOIRE

Jean Colombe n'a pas cru devoir prodiguer l'horreur en peignant le lieu où se purifient les défunts promis à la béatitude éternelle. Ils souffrent, certes, mais l'espoir ne les quitte pas, ravivé chaque fois qu'ils voient un de leurs compagnons d'infortune, enfin lavé de toutes ses imperfections, tiré du fleuve de feu ou de l'étang de glace par un ange qui va l'enlever au Paradis. Le bleu pur du ciel, la lumière douce qui baigne l'ensemble, les agréables corps féminins que laissent intacts des traitements pourtant cruels, tout concourt à atténuer l'effet pénible des supplices purificateurs. (Fol. 113v).

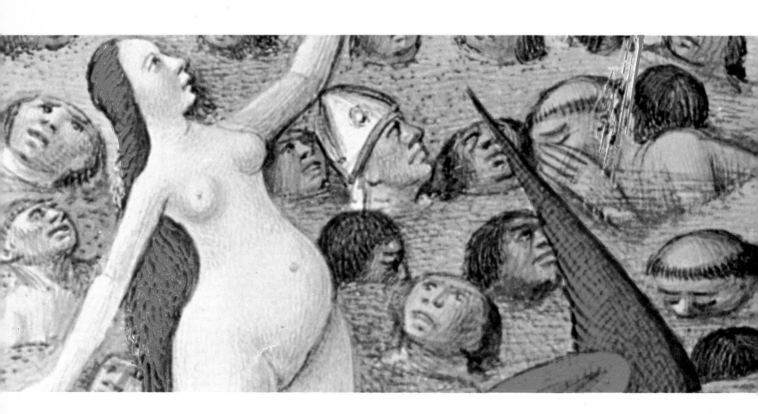

LE SAINT-SACREMENT

Dans ce magnifique intérieur d'église gothique, on voit au fond, dans le chœur séparé de la nef par un jubé, un prêtre, ayant derrière lui son acolyte, qui célèbre le salut du Saint-Sacrement. Il est revêtu de la chape, comme il est d'usage en pareil cas. Il semble y garder caché jusqu'au dernier moment l'ostensoir dans lequel il va élever l'hostie consacrée pour l'offrir à l'adoration des fidèles : c'est un geste rituel dans cette liturgie. Au premier plan, regardant vers le chœur, se tiennent à droite trois hommes à l'aspect oriental, probablement des personnages de l'Ancien Testament considérés comme ayant préfiguré l'Eucharistie : l'un d'eux porte un pain, un autre un vase qui peut contenir du vin. On a pensé à Melchisédech, à Moïse, à Élie. A gauche, les trois hommes nu-tête seraient les trois évangélistes qui ont relaté la Cène, le repas au cours duquel Jésus institua l'Eucharistie : Matthieu, Marc et Luc. Au-dessous, devant une très belle rangée de maisons du XVe siècle, saint Antoine de Padoue confond un négateur de la présence réelle en présentant l'hostie à une mule, qui tout aussitôt s'agenouille, dédaignant même l'avoine qu'il lui offre de l'autre main. (Fol. 129v).

L'INVENTION DE LA CROIX

On sait que l' « invention », c'est-à-dire la découverte de la croix où fut cloué Jésus, fut faite par Hélène, mère de l'empereur Constantin. Suivant la légende, trois croix furent trouvées dans le sol du Calvaire. On reconnut celle du Christ au pouvoir de guérison qu'elle exerça sur une femme considérée comme mourante. La dame au long manteau qui tombe à genoux et relève les mains est apparemment Hélène. Encore un joli paysage. (Fol. 133v).

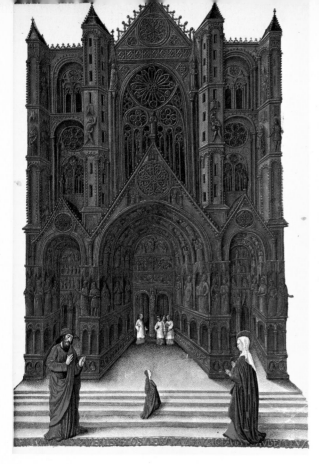

LA PRÉSENTATION DE LA VIERGE

Le père et la mère de Marie, saint Joachim et
sainte Anne, ont conduit la fillette jusqu'au pied des
marches du Temple, qu'elle gravit toute seule sans
manifester aucun embarras. Les prêtres l'attendent
sous le porche. Ils portent des surplis comme les
prêtres catholiques, et le temple de Jérusalem est
représenté sous l'aspect de la partie centrale de la
façade de la cathédrale de Bourges, traduite avec
quelque liberté. Comme il l'a fait dans la plupart de
ses grandes miniatures, Jean Colombe, plutôt que de
réserver en bas la place de quelques lignes de texte,
a préféré intégrer ce début de prière dans sa
composition : ici, sur une bande qui peut figurer la
première des marches du Temple. (Fol. 137).

PLAN DE ROME

Impossible de dire pourquoi ce hors-texte a été inséré dans le manuscrit, entre les petits offices de la semaine et les Heures de la Passion. Cette effigie de la ville la plus fameuse de l'Occident médiéval ressemble en tout cas beaucoup, en très réduit, à celle que montre une fresque peinte par Taddeo di Bartolo dans le vestibule de la chapelle intérieure du palais communal de Sienne. Cette vue cavalière, et combien stylisée, de Rome est orientée le nord en bas : en haut, un peu à droite, on identifie Saint-Paul-hors-les-Murs, qui se trouve au sud-ouest. Sainte-Marie Majeure, blanc bleuté avec deux toits roses, deux tours à hautes flèches et un rempart crénelé, se trouve à mi-hauteur du cercle, un peu à gauche, entre les deux branches de l'aqueduc au bout de l'une desquelles est réservée en blanc la silhouette de la statue équestre de Marc Aurèle, transportée plus tard au Capitole. Devant le nez du cheval, le Colisée, travesti en tour à étages. Un peu à droite, le Palatin, bizarrement affublé d'arcs-boutants gothiques. Plus bas, sur un autre tertre de verdure, le Capitole, assez ressemblant, qu'avoisine un gibet avec son pendu. Entre les deux tertres, Sainte-Françoise Romaine. A gauche, le rectangle blanc attend toujours qu'on le garnisse avec le groupe des Dioscures. A droite du Tibre, où n'a pas été oubliée l'île Tibérine et ses deux ponts, le quartier du Transtévère, et au-dessous le Vatican. Tout en bas, au bord du Tibre, le pont Milvius, près duquel, en 312, Constantin, le premier empereur chrétien, battit son rival Maxence, et plus à droite le château Saint-Ange, figuré trop loin de son pont. Le sol, à l'intérieur des murs, est nu entre les monuments, comme s'il n'y avait pas dans Rome une maison d'habitation. Il est figuré comme une chaussée pavée de galets, à la manière des villes flamandes familières aux Limbourg. (Fol. 141v).

L'ARRESTATION DE JÉSUS

C'est la première des miniatures qui illustrent les Heures de la Passion. Pour représenter l'arrestation de Jésus, l'artiste a choisi de suivre l'Évangile de saint Jean : « Judas donc, menant la cohorte et des gardes détachés par les grands prêtres et les Pharisiens, arrive là avec des lanternes, des torches et des armes. Alors Jésus (...) leur dit : Qui cherchez-vous ? Ils lui répondirent : Jésus le Nazaréen. — C'est moi, leur dit-il. (...) Ils reculèrent et tombèrent à terre. » Les trois autres Évangiles ne font pas mention de cette chute collective. Le ciel bleu de nuit, criblé d'étoiles et traversé d'une ou deux étoiles filantes, tendu sur une scène dramatique très lisible bien que traitée en tons foncés peu différenciés, et à peine éclairée par le brasillement des torches, est unique dans l'enluminure médiévale. (Fol. 142).

L'ARRIVÉE AU PRÉTOIRE

Les grands prêtres et le Sanhédrin, réunis en pleine nuit pour juger Jésus, ont opiné qu'il méritait la mort. Mais la décision appartient à Pilate, procurateur de Judée, représentant de Rome, la puissance occupante. A travers les rues de Jérusalem qu'éclaire le ciel matinal, serviteurs des prêtres et soldats romains conduisent Jésus au prétoire. L'artiste a composé avec un évident plaisir un paysage urbain qui d'ailleurs évoque son Limbourg natal plutôt que l'Asie Mineure. Il a rétabli l'Orient avec tous ces turbans et ces bonnets pointus ; les casques et les cottes de mailles de ses légionnaires sont, eux, assez occidentaux. (Fol. 143).

LA FLAGELLATION

Pilate, qui ne voit pas quel mal a fait l'homme que lui amènent les prêtres, et ne voudrait pas sa mort, espère calmer la fureur des Juifs en le faisant seulement flageller. En sa présence, on attache Jésus à une colonne du prétoire et des préposés le frappent de verges. L'artiste a imaginé en outre un fouet à plusieurs lanières munies de boules à pointes, dont use l'homme en bleu à droite. Pilate, avec sa grande barbe et sa haute coiffure, ressemble aussi peu que possible à un procurateur romain : au Moyen Age, on se figurait les Romains sous l'aspect des sujets de l'empereur d'Orient, le *basileus* de Byzance, qui était en effet le seul successeur direct des Césars. Remarquer les prêtres juifs qui se dépensent à mettre Pilate dans leur jeu. Tout à fait à droite, saint Jean prend des notes qu'il reproduira dans son Évangile. En haut des colonnes, les statuettes d'une femme et d'un homme nus veulent peut-être représenter des divinités évoquant le paganisme du Romain Pilate. (Fol. 144).

LA SORTIE DU PRETOIRE

Envoyé à la mort par Pilate qui a cédé aux Juifs, Jésus est conduit hors du prétoire, suivi d'un autre condamné, probablement un des deux « larrons » entre lesquels il va être crucifié. L'artiste ne s'est pas retenu d'imaginer un édifice fort différent de celui dans lequel il avait fait entrer le divin accusé. Il a encore renchéri en exubérance autant dans l'architecture que dans les costumes. Le seul à être vêtu simplement est Jésus. On notera qu'il n'est pas affublé de la couronne d'épines comme il le sera presque toujours dans les « chemins de croix » des siècles suivants. Les visages des exécutants, pas plus que ceux des spectateurs, ne respirent la haine. Ils sont plutôt graves. Les quatre enfants qui, à gauche, serrent de près un grand porteur d'oriflamme, semblent de tous les moins apitoyés. (Fol. 146v).

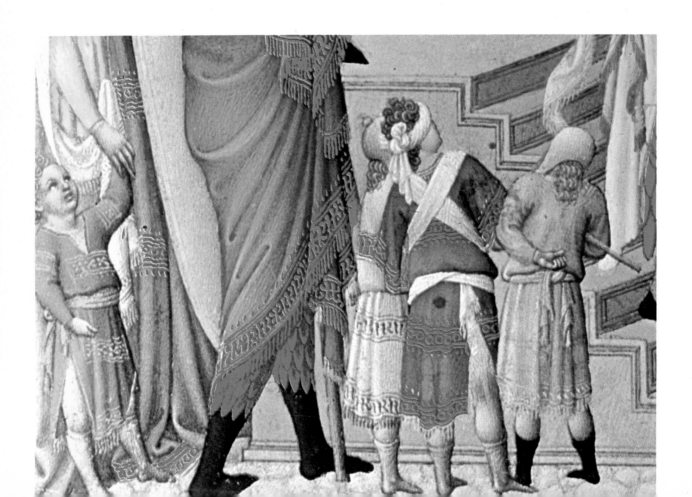

LA CRUCIFIXION

La manière de Jean Colombe interrompt de façon inattendue le style Limbourg de ce film de la Passion. Nous y perdons à coup sûr en grâce, en charme, en qualité esthétique, d'autant que l'artiste a été moins bien inspiré dans ce sujet que dans la plupart de ceux qu'il a traités au long du manuscrit. Pourtant, à y regarder de près, on prend intérêt à tous ces visages unanimement levés vers le Crucifié ; on découvre une subtile différence d'expression entre le bon larron à gauche — donc à la droite de Jésus — et le mauvais ; on apprécie la physionomie de saint Jean — mieux rendue assurément que celle de la Vierge éplorée dont il soutient le dos. Le crâne et les ossements seraient ceux d'Adam, qui se trouvaient juste à l'endroit choisi pour y planter la croix. (Fol. 152v).

LES TÉNÈBRES

« C'était environ la sixième heure quand, le soleil s'éclipsant, l'obscurité se fit sur le pays tout entier, jusqu'à la neuvième heure. » Ainsi s'exprime Luc ; Matthieu et Marc disent à peu près la même chose. L'artiste, un Limbourg cette fois, a su très bien donner à cette obscurité insolite un tout autre aspect qu'à la nuit de l'Arrestation. Les ténèbres semblent imperméables à toute lumière. Le nimbe éclatant du Crucifié n'y déteint pas, le soleil et la lune s'exténuent à les percer, et elles restent totalement étrangères à la gloire flamboyante du Père, entre les mains de qui, à l'instant même, le Fils va « remettre son esprit » (Luc). Dans les trois petits médaillons, peut-être un astronome qui observe le phénomène, le rideau du temple déchiré (Matthieu, Marc, Luc), des morts qui ressuscitent et sortent du tombeau (Matthieu). (Fol. 153).

LA DESCENTE DE CROIX

Joseph d'Arimathie, en vert, sur l'échelle de gauche, reçoit le corps du Crucifié dans le linceul « propre » (Matthieu) qu'il a apporté ; l'homme en rose et à turban est peut-être Nicodème, qui, selon Jean, apporta un mélange de myrrhe et d'aloès pour en oindre le cadavre. Noter le geste de l'homme en bleu qui semble frapper avec un marteau le clou des pieds pour le chasser du bois de la croix. Les larrons ont les tibias sanguinolents parce que Pilate, à la demande des Juifs, leur a fait briser les jambes (Jean). Au pied de la croix, Marie-Madeleine. A droite, les autres saintes femmes. L'une d'elles tient dans sa main les deux clous déjà arrachés, et un linge précieux. La Vierge regarde gravement ; elle n'a plus de larmes. Derrière elle, saint Jean tend les bras pour recevoir le corps. Les trois enfants n'ont pas l'air plus émus qu'à la sortie du prétoire. Cet âge est sans pitié. (Fol. 156v).

LA MISE AU TOMBEAU

Réapparition de la manière de Jean Colombe. Dans le manuscrit, cette mise au tombeau fait face à la descente de croix des Limbourg. Elle soutient l'épreuve. Dans ce crépuscule tragique à souhait, les personnages, par leurs attitudes et leurs visages, traduisent avec justesse leurs sentiments. Particulièrement poignant est le profil de Marie-Madeleine occupée à oindre, avec le contenu du vase apporté par Nicodème, la main du Maître bien-aimé. Le corps du Crucifié a déjà la raideur cadavérique. Il évoque irrésistiblement celui de la *Pietà* d'Avignon. (Fol. 157).

LA MESSE

La dernière partie des Très Riches Heures donne le « propre » d'un certain nombre de messes, c'est-à-dire les prières particulières à chacune de ces messes, l'« ordinaire » restant immuable. La première miniature de cette série, qui figure en tête du propre de la troisième messe de Noël, représente tout naturellement la messe. Venant à la suite d'évocations scripturaires de grand style, elle se recommande surtout par sa valeur documentaire. On y voit que la messe était célébrée tout à fait comme elle l'était encore de nos jours, avant que l'autel ait été retourné « face au peuple ». L'officiant, ici, est assisté de deux servants vêtus de la dalmatique des diacres. A gauche, des chanoines sont agenouillés dans leur stalle. A droite, la maîtrise chante au lutrin. On aimerait beaucoup savoir qui est le petit personnage en robe bleue et chausses rouges, pourquoi il a la tête couverte et ce qu'est l'espèce de masse d'armes qu'il tient en main. Ne serait-il pas ce qu'on devait appeler plus tard « le Suisse » ? Les deux dames du premier plan paraissent assises sur des tabourets ; le reste des fidèles est debout ou à genoux par terre. L'ange sculpté à la clé de voûte porte les armes du duc de Savoie pour qui travaillait Jean Colombe. Les trois autres, dont un tient une patène, sont, bien sûr, imaginaires. (Fol. 158).

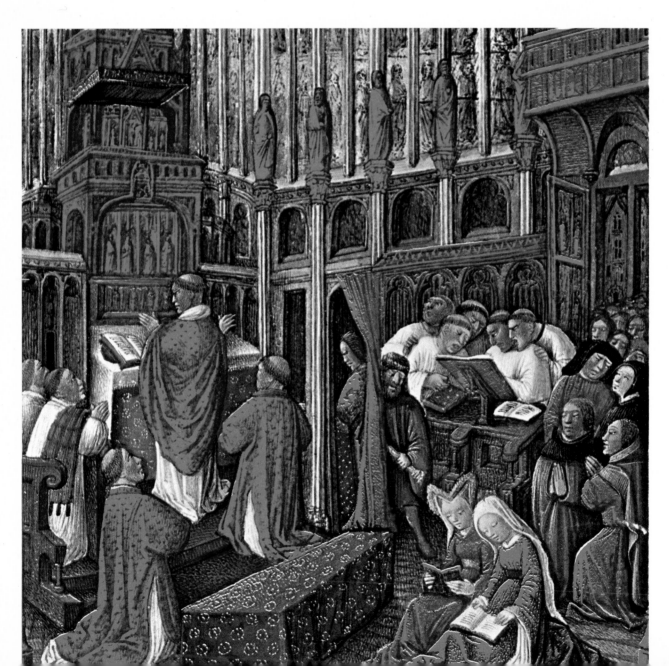

LA TENTATION DU CHRIST

C'est l'illustration de l'Évangile du premier dimanche de Carême. Et c'est en même temps l'aveu — sans doute inconscient — que Jean de France, duc de Berry, avec ses dix-sept résidences princières, ses bijoux, ses pièces d'orfèvrerie, ses beaux manuscrits et le reste, se situe dans ce monde dont Satan est le prince. L'auteur de cette miniature — la plus archaïque du manuscrit par sa composition — avait à représenter Jésus transporté sur une haute montagne par le diable qui lui dit, en lui montrant « tous les royaumes du monde avec leur gloire » : « Tout cela, je te le donnerai, si tu tombes à mes pieds et m'adores. » (Matthieu). Or, que choisit-il pour symboliser ce domaine dont le diable dispose à son gré ? Rien d'autre que le plus beau des châteaux du duc, celui de Mehun-sur-Yèvre, où il conservait, entre autres merveilles, la fine fleur de sa « librairie »... Et avec un peu de bonne volonté, on peut reconnaître dans les

autres édifices de ce paysage d'autres demeures du même duc. Du splendide château de Mehun, il ne reste aujourd'hui que quelques tours en ruine. (Fol. 161v).

LA CANANÉENNE

Cette Cananéenne, comme l'appelle Matthieu, est, d'après Marc, une « Syrophénicienne » ; en tout cas, elle n'appartient pas au peuple élu. Pourtant elle est venue supplier Jésus de chasser un démon par lequel sa fille est « fort malmenée ». Mais il répond : « Je n'ai été envoyé que pour les brebis de la maison d'Israël. » Et, comme elle insiste : « Il ne sied pas de prendre le pain des enfants pour le jeter aux petits chiens. » Sans se décourager, elle trouve les mots qu'il faut : « Aussi bien, les petits chiens mangent-ils des miettes qui tombent de la table de leurs maîtres ! » Cette fois, Jésus se rend : « O femme, grande est ta foi ! Qu'il advienne selon ton désir. » En deux registres d'ampleur inégale, Jean Colombe a résumé cette histoire. Il s'est surpassé dans les paysages, nous offrant une des visions les plus concrètes dont nous disposions aujourd'hui de la campagne médiévale, plus précisément savoyarde. (Fol. 164).

LA GUÉRISON DU POSSÉDÉ

Cette miniature illustre un bref passage de l'Évangile de saint Luc : « Il expulsait un démon, un démon muet. Le démon sorti, le muet parla, et les foules furent dans l'admiration. » La suite est une discussion avec ceux qui prétendent que Jésus est de connivence avec le démon Béelzéboul. Cet Évangile est celui du quatrième dimanche de carême.

Remarquer le diablotin qui sort de la tête du possédé, solidement ceinturé. Les spectateurs, tous vêtus à l'orientale avec luxe et recherche, doivent être dans l'esprit de l'artiste des scribes et des Pharisiens, bien que le texte évangélique ne le précise pas. Derrière l'édifice élégant et compliqué qui sert de décor, on notera que le fond, qui pourrait être simplement le ciel, est bleu foncé à ramages. (Fol. 166).

114

LA MULTIPLICATION DES PAINS

L'artiste qui n'a pas pu laisser longtemps la Vierge de la crèche dans la misère, ou du moins son frère très semblable, a imposé son luxe impénitent au thème illustre de la multiplication des pains. Cette foule, évaluée par les quatre Évangiles à cinq mille personnes, n'arborait sûrement pas les vêtements somptueux qu'il multiplie, au moins dans la partie droite de sa composition. Il n'est pas dit non plus que le grand prêtre était présent ; or on le voit au premier rang, signalé par l'ornement caractéristique qu'il porte sur la poitrine. Les personnages de gauche, où se trouvent l'homme aux cinq pains et l'enfant aux deux poissons, paraissent un peu moins fastueux. Le sol couvert à perte de vue d'herbe verte semble vouloir illustrer plus précisément le texte de Marc : « Alors il ordonna de les faire tous s'étendre par groupes de convives sur l'herbe verte. » Noter, ici encore, le ciel remplacé par un fond bleu à ramages, et la plaisante décoration des marges. (Fol. 168v).

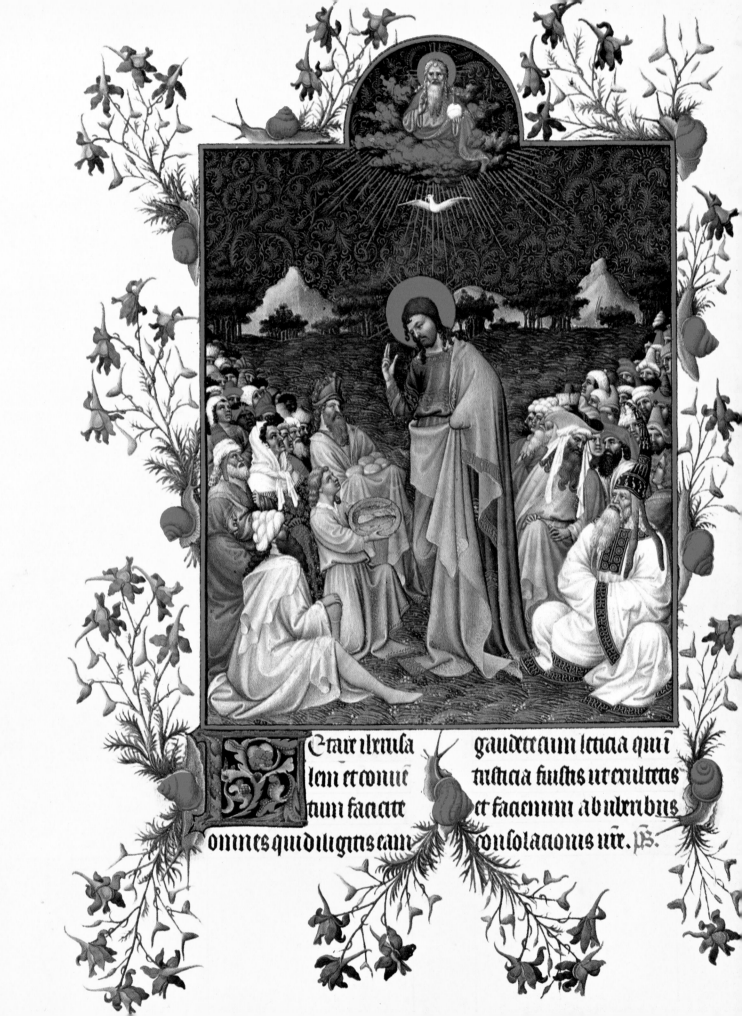

Etair ilrlusa   gaudeteaim lenaa qui
lem et conue   tristiaa fuistis ut exultetis
tum faciate   et faaemun abubenbus
omnes qui diligitis eam   consolaaonis uir. ꝑ̅s̅.

L'ENTRÉE A JÉRUSALEM

Le dimanche des Rameaux, qui précède celui de Pâques, commémore, on le sait, l'entrée triomphale de Jésus à Jérusalem, qu'allait suivre de peu sa Passion. Les quatre évangélistes en donnent le récit avec quelques variantes ; la miniature illustre plus précisément celui de Matthieu : les trois autres ne parlent que d'un ânon, alors que nous voyons ici Jésus monté sur une ânesse accompagnée de son petit. Les apôtres, saint Pierre en tête, la plupart indiqués par leur seule auréole, suivent de près. Le petit personnage perché sur un arbre fait évidemment penser à Zachée, percepteur des impôts romains à Jéricho, qui, étant de petite taille, était monté sur un sycomore pour voir entrer Jésus dans sa ville. Mais ce n'est pas lui : c'est indubitablement un jeune garçon, et on voit bien qu'il s'occupe de couper des branches de l'arbre pour en joncher le chemin de Jésus. L'expression des visages des habitants — joie, confiance, espoir — est d'une justesse bouleversante. L'artiste, une fois de plus, a donné libre carrière à son imagination architecturale, cette fois plutôt italianisante. (Fol. 173v).

LA RÉSURRECTION

Pour représenter le moment de la résurrection du Sauveur, les artistes en sont réduits à leur imagination puisque les Évangiles n'en racontent que les suites. Jean Colombe, curieusement, a donné à son Christ surgissant du tombeau l'attitude que lui-même, dans le double rinceau de la marge inférieure, et bien d'autres artistes — par exemple l'enlumineur de la *Vita Christi* de Ludolphe le Chartreux, qui est à peu près de la même époque — ont prêtée à Jésus ressuscité apparaissant à Marie-Madeleine dans un jardin et lui disant : « Ne me retiens pas » *(Noli me tangere)*. Comme le geste du bras droit suppose un interlocuteur, il a campé sur le tombeau un ange qui ne sait trop quelle contenance prendre. Il s'est senti mieux à son affaire pour figurer les gardes postés au tombeau par Pilate à la demande des Juifs, qui, à la vue de l'ange, « tressaillirent d'effroi et devinrent comme morts » (Matthieu). Et il a su rendre à merveille ce ciel de fin de la nuit traversé de nuages que rougit déjà le soleil avant d'apparaître. (Fol. 182v).

SAINT MICHEL

La dernière grande miniature des Très Riches Heures nous ramène à la manière des Limbourg. Le « combat dans le ciel » narré en peu de mots par l'Apocalypse (chap. XII), et qui oppose saint Michel au « dragon », est situé par l'artiste au-dessus du plus illustre sanctuaire élevé à l'archange : l'abbaye du Mont-Saint-Michel, où le duc de Berry s'était rendu au moins deux fois en pèlerinage, accompagnant son neveu le roi Charles VI. Nous y gagnons un document archéologique d'une précision rare. Le Mont est figuré à marée basse : les barques à la proue redressée et même un bateau à voile sont à sec sur le sable. Le rocher pointu, à droite, est l'île de Tombelaine, haut lieu — comme d'ailleurs le Mont-Saint-Michel — de la religion pré-chrétienne. Dans les marges, les anges en médaillon ont peut-être pour fonction de suppléer ceux qui, dans l'Apocalypse, combattent sous les ordres de saint Michel. (Fol. 195).

Designed and produced by
Productions Liber SA
© Productions Liber SA,
and Editions Minerva SA
Fribourg - Genève, 1979/1983

Printed by
Officine Grafiche
de Garzanti Editore s.p.a.
Printed in Italy

ISBN: 2-88143-000-7